CARLO MORENA

LEGATO ESPRESSIVO

Esercizi giornalieri sulla sonorità per flauto

Daily Sonority Exercises for Flute

RICORDI

Carlo Morena è docente di flauto al Conservatorio di Santa Cecilia di Roma, dove ha studiato flauto, pianoforte e composizione. Ha insegnato negli USA e in Spagna. Ha svolto una carriera sia solistica sia cameristica tenendo concerti in diversi paesi del mondo.

Carlo Morena teaches flute at the Conservatorio of Santa Cecilia in Rome, where he studied flute, piano and composition. He has taught in the USA and Spain. He has performed in concert in various countries around the world, both as solo performer and as part of chamber ensembles.

English translation by Avery Gosfield

ER 3064
ISMN 979-0-041-83064-3

INDICE • INDEX

INTRODUZIONE

INTRODUCTION

Il presente lavoro affronta alcuni importanti aspetti tecnici relativi al legato espressivo. Avere un bel legato e una grande espressività, che ricordino le qualità naturali della voce umana, sono requisiti tecnici molto ambiti da ogni strumentista.

Vengono qui proposte alcune serie di esercizi giornalieri nei quali si affrontano le difficoltà tecniche tipiche del legato, quali il controllo del flusso d'aria, la corretta intonazione, i salti ampi, la continuità del suono, e così via.

Per meglio comprendere l'obiettivo del lavoro sarà utile comparare l'archetto degli strumenti ad arco alla colonna d'aria degli strumenti a fiato. Per quanto riguarda la tecnica dell'arco, violinisti, violisti e violoncellisti si esercitano in maniera ben strutturata, con esercizi che inducono un buon controllo del peso, della velocità e della stabilità dell'arco, parametri questi relativi alla padronanza del suono. Il flautista deve invece concentrarsi sul fiato, che ha velocità, direzione e densità proprie, oltre che una specifica quantità di aria emessa. Il controllo di tali parametri permette di poter avere i mezzi tecnici utili per una più accurata ed espressiva interpretazione del repertorio.

Ogni gruppo di esercizi ha un obiettivo didattico specifico. Figurazioni, intervalli, sezioni di scale, così come tecniche di suono tipiche della musica contemporanea vengono utilizzati come strumenti per il controllo e il miglioramento del legato e del fraseggio ampio ed espressivo. Nel volume è incluso anche un planning giornaliero con cui poter programmare il proprio studio individuale.

Carlo Morena

This work is designed to help tackle some of the technical skills important for developing an expressive legato style. Being able to play with a good legato and a high level of expressivity, similar to the natural attributes of the human voice, are technical requisites coveted by every instrumentalist.

Here, several series of daily exercises are proposed, in which the technical challenges inherent to legato playing, such as controlling the flow of air, good intonation, playing wide leaps smoothly and maintaining a continuous sound, are brought into play.

One of the best ways for the student to grasp the objectives presented in this book is by thinking of the column of air used to play the flute as if it were a violin bow. When it comes to bowing technique, violinists, violists and cellists practice in an organized, well-structured fashion, with exercises that lead towards a good control of the bow's weight, speed and stability: the parameters that lead towards mastering sound production. A flutist, instead, needs to concentrate on his or her blowing, which has its own speed, direction and density, and emits a specific quantity of air. The control of these parameters is what allows a player to develop the technical means needed for a controlled and expressive interpretation of the flute repertoire.

Each group of exercises has a specific didactic objective. Melodic figures, intervals, scale segments, together with sound-producing techniques used frequently in contemporary music are used as tools for acquiring more control, improving legato technique and learning how to phrase in long, expressive passages. A practice diary which the student can use to program his or her individual practice sessions is also included in this volume.

Carlo Morena

GUIDA ALL'UTILIZZO DI QUESTO METODO
HOW TO USE THIS METHOD

Vengono qui fornite alcune indicazioni generali su come inserire gli esercizi di questo metodo nel proprio piano di studio. Sarà comunque lo studente, o l'insegnante, a valutare quali esercizi programmare in base alle proprie esigenze di studio e al livello raggiunto.

Si consiglia di eseguire quotidianamente, per riscaldarsi, gli esercizi indicati come "pratica giornaliera" nella tabella sottostante. Ad essi, andranno affiancati gli esercizi rimanenti: alcuni potranno essere eseguiti due o tre volte a settimana, altri, invece, sporadicamente come supporto al piano di studio generale.

Here are some indications on how to insert the exercises found in this method into your personal practice schedule. Naturally, it is up to the student or the teacher to decide which exercises to use, based on individual needs and level.

We suggest that the exercises indicated as 'daily practice' in the table below be played every day as a warm up. These should be supplemented by the remaining exercises. Some of these should be played two or three times a week, while others should be played occasionally, as an addition to your normal practice routine.

Pratica giornaliera *Daily practice*	Esercizio di Warm-up, G5-2, G7-1, G7-4 *Warm-up exercise, G5-2, G7-1, G7-4*
Due o tre volte a settimana *Two or three times a week*	Esercizi tratti da tutti i gruppi (tranne G10) *Exercises drawn from all of the groups (except for G10)*
Supporto *Back-Up*	G10

NOTA PER LO STUDENTE
TO THE STUDENT

La presenza dei ritornelli o delle barre doppie indica che la sezione inclusa al loro interno va considerata separata e può essere studiata come tale indipendentemente dalla continuità logica dell'esercizio. L'esercizio può cioè essere suonato sia come pezzo unico sia in sezioni separate. In presenza di ritornelli, nell'esecuzione integrale dell'esercizio, essi dovranno essere rispettati; in presenza delle doppie barre non sarà necessario ripetere la sezione inclusa tra loro.

The presence of repeat signs or double bars indicates that the section included within them should be considered separate and can be studied as such regardless of the logical continuation of the exercise. Consequently, the exercise can be played either as a single piece or in separate sections. When playing the exercise in its complete version, when there are repeat signs, they should still be followed; in the case of double bars, it is not necessary to repeat the section included between them.

Gruppo 1 • *Group 1*

Nove esercizi sull'espressività e sul legato
Nine exercises for improving expressiveness and legato technique

Esercizio di Warm-Up • *Warm-Up exercise*

Continua la sequenza cromatica per tutta l'estensione dello strumento
Repeat the chromatic sequence, covering the flute's entire range

Si raccomanda di eseguire questa serie di esercizi, che comprendono sezioni di arpeggi ascendenti e discendenti, senza crescendo né diminuendo, mantenendo il suono fermo e allo stesso tempo molto espressivo, controllando sempre la continuità e la stabilità della colonna d'aria. Si raccomanda una postura eretta e una corretta flessibilità del collo. Eseguire sempre *mf* e legatissimo. Ripetere le formule più volte fino ad ottenere il miglior risultato possibile per poi passare alle successive.

This series of studies, made up of passages of ascending and descending arpeggios, should be performed without crescendo or diminuendo. The sound should remain steady but at the same time very expressive, while the continuity and stability of the air column should be controlled throughout. Try to stand with good posture and to make sure that your neck is relaxed. Always play mf *and as legato as possible. Passages should be played repeatedly until they are fully mastered, after which the student should move on to the next one.*

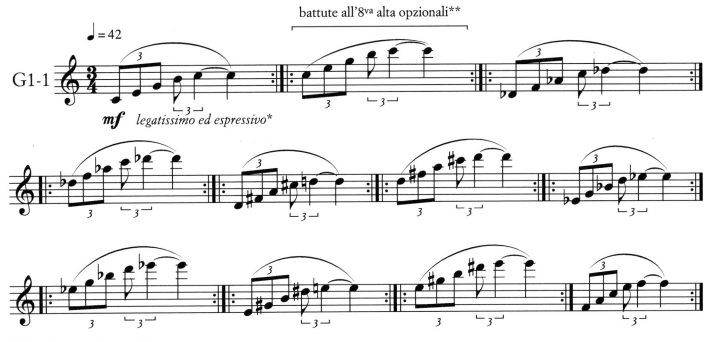

* Very *legato* and expressive
** Measures written in the upper range of the flute are optional

♩ = 62

G1-2

dolce e uniforme*

* Sweetly and evenly

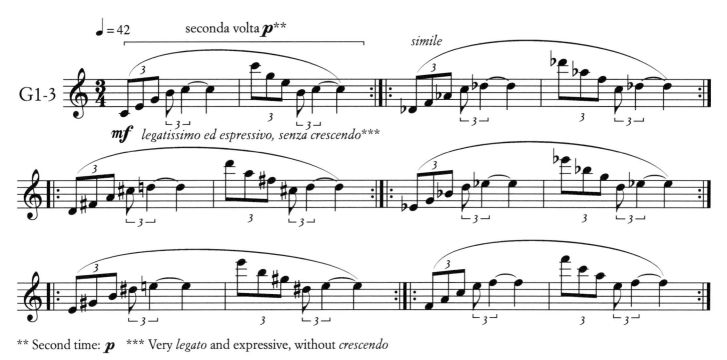

♩ = 42

seconda volta *p***

simile

G1-3

mf legatissimo ed espressivo, senza crescendo***

** Second time: *p*   *** Very *legato* and expressive, without *crescendo*

ER 3064

la prima volta loco, la seconda 8va*

la prima volta 8va, la seconda loco***

* First time as written, second time an octave up
** Very *legato* and expressive
*** First time an octave up, second time as written

ER 3064

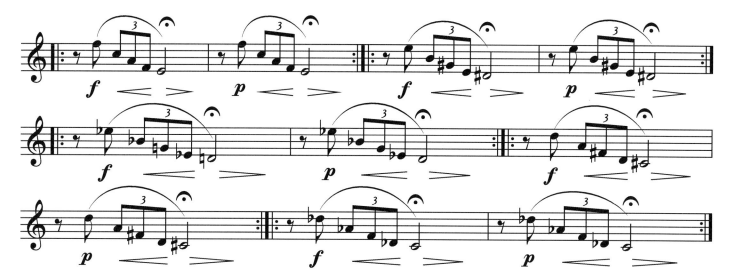

G1-5 ♩ = 100

ER 3064

♩ = 64

*ben tenuta***

G1-7

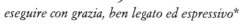

*eseguire con grazia, ben legato ed espressivo**

ben tenuta

ben tenuta

ben tenuta

* To be played gracefully, expressively and quite *legato*
** Sustained

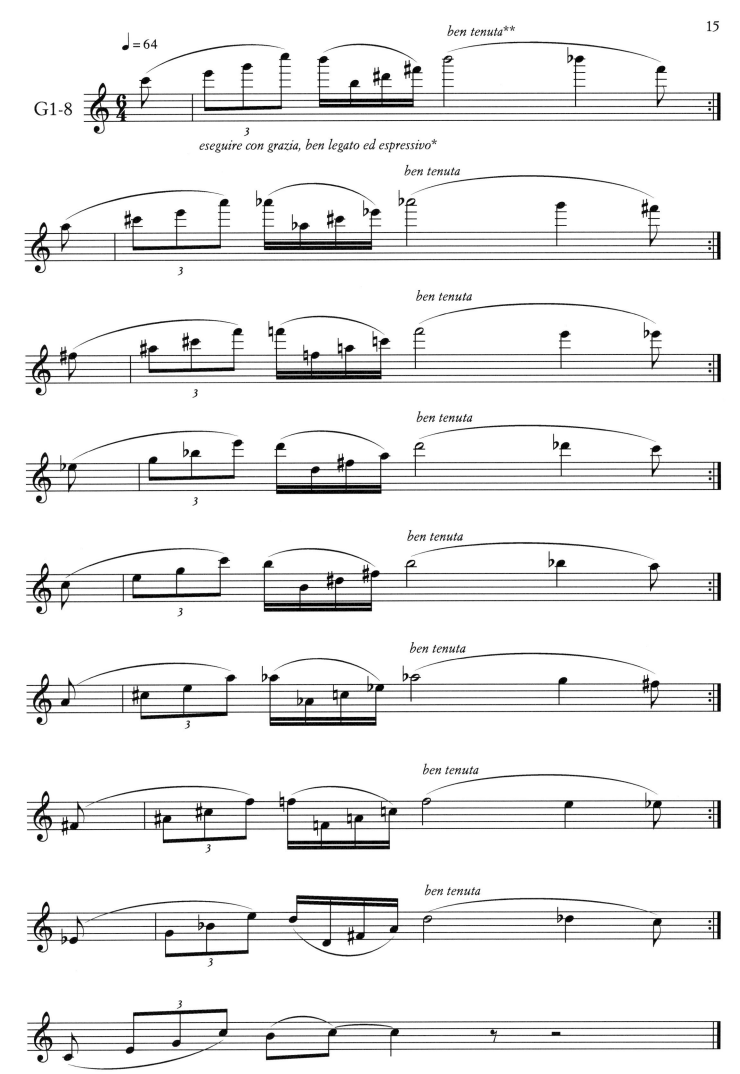

* To be played gracefully, expressively and quite *legato*   ** Sustained

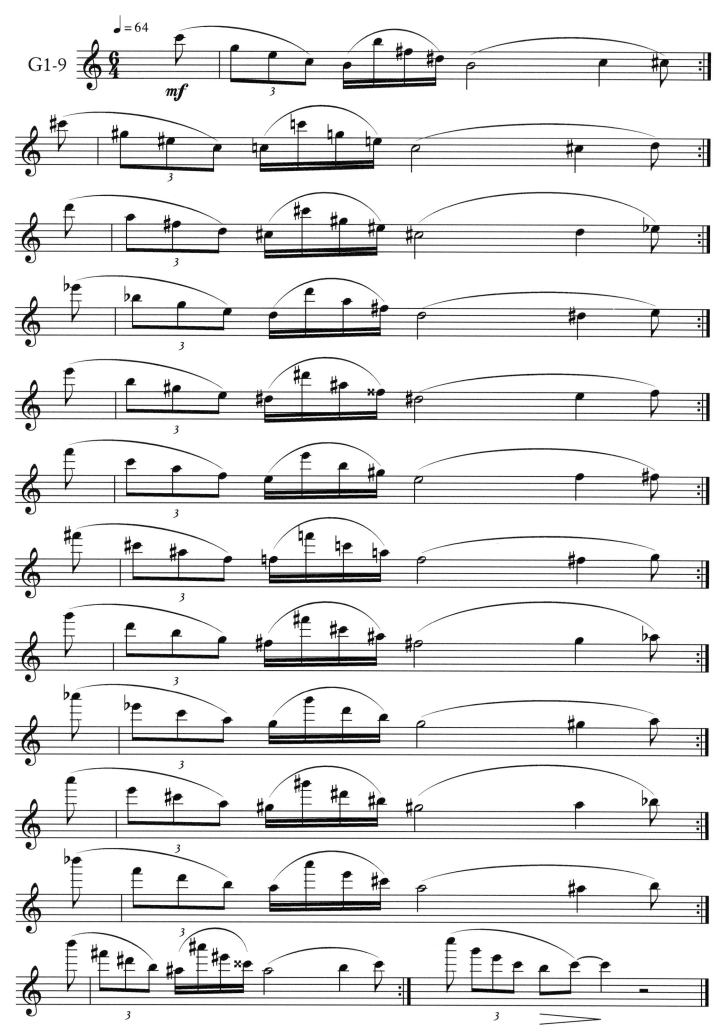

Gruppo 2 • *Group 2*

Tre esercizi sul controllo della velocità dell'aria
Three exercises for controlling air-speed

In questa serie di esercizi si raccomanda un attento controllo della velocità della colonna d'aria, evitando quanto possibile crescendi e diminuendi, sia nelle figurazioni ascendenti che in quelle discendenti.

In this series of exercises, it is important to control the speed of the air-column with care, avoiding crescendos and diminuendos as much as possible in the ascending as well as descending passages.

* Very *legato* without *diminuendo*

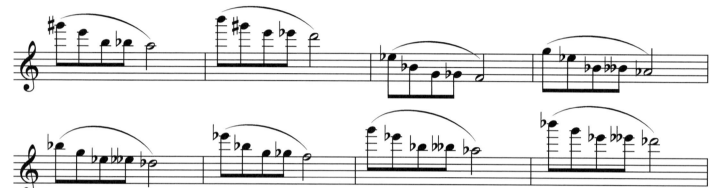

Very *legato* without *crescendo*

ER 3064

Gruppo 3 • *Group 3*

Nove esercizi per non stringere il suono nei salti ampi
e per il legato espressivo sulle note acute

*Nine exercises for avoiding a pinched sound on large leaps
and for developing expressive legato on high notes*

Gli esercizi, che privilegiano il registro acuto, dovranno essere eseguiti dapprima molto lentamente, cercando di evitare improvvise accelerazioni della colonna d'aria, per poi aumentare gradualmente la velocità mantenendo sempre una corretta flessibilità del collo e la continuità dell'aria.

These exercises, which concentrate on the high register of the flute, should first be played extremely slowly, trying to avoid any sudden increases in air-flow speed. Afterwards, the student should gradually increase playing speed, while taking care to maintain a continuous flow of air and a relaxed, flexible neck.

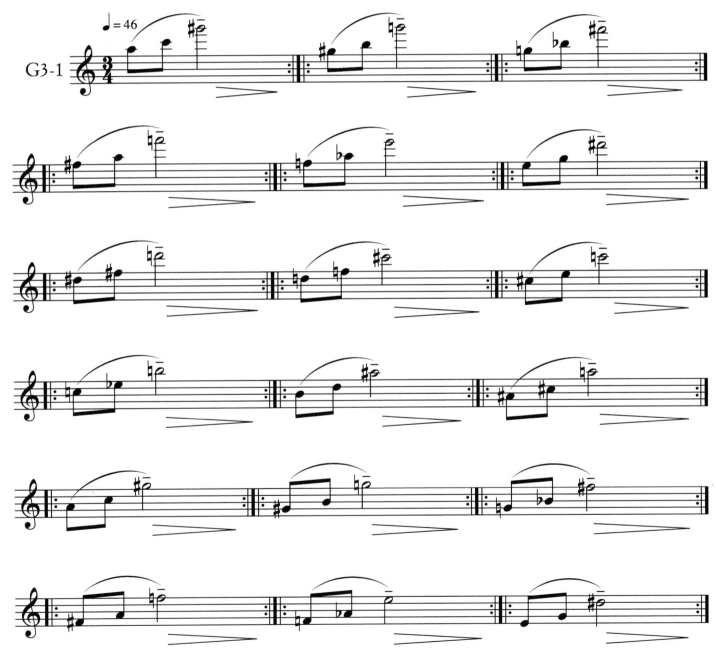

G3-2

G3-3

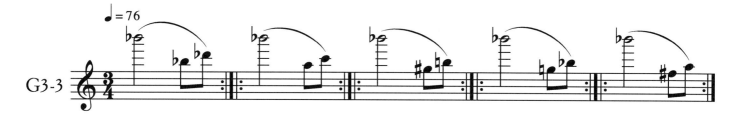

* Il segno di diminuendo è volutamente spostato in avanti per indicare che l'effetto inizia dopo l'emissione e non contestualmente
The diminuendo sign has been intentionally placed after the note to indicate that the effect should start after the note is played rather than at the same time

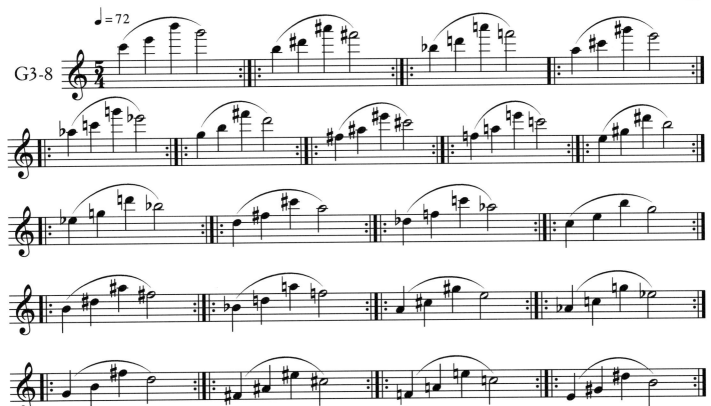

Gruppo 4 • *Group 4*

Due esercizi per l'omogeneità del suono e per il controllo dei salti di sesta
Two exercises for developing an even sound and controlling sixth leaps

Eseguire le formule più volte, senza affaticarsi, fino ad ottenere la migliore omogeneità nel suono, prestando la massima attenzione ai salti di sesta discendente (esercizio 1) e ascendente (esercizio 2).

The passages should be repeated several times (but not to the point of exhaustion) until a complete uniformity of sound is achieved. Special care should be taken during the downwards (ex. 1) and upwards (ex. 2) leaps of sixths.

* Very *legato*, to be played without *crescendo* or *diminuendo*

** Measures written in the upper range of the flute are optional

* Sweetly and very *legato*

Gruppo 5 • *Group 5*

Sei esercizi su tutta l'estensione del flauto
Six exercises covering the flute's entire range

La sezione usa i salti di terza in sequenza in tutte le tonalità per lo studio sistematico dell'omogeneità dei registri e della flessibilità del suono. Si raccomanda un'esecuzione lenta ed espressiva e un perfetto sincronismo delle posizioni.

The exercises in this section are made up of sequences of thirds written in every possible key, in order to work systematically on developing a flexible sound and to learn how to play uniformly in different registers. They should be played slowly and with expression, taking care to keep the fingers perfectly synchronised when moving from one position to another.

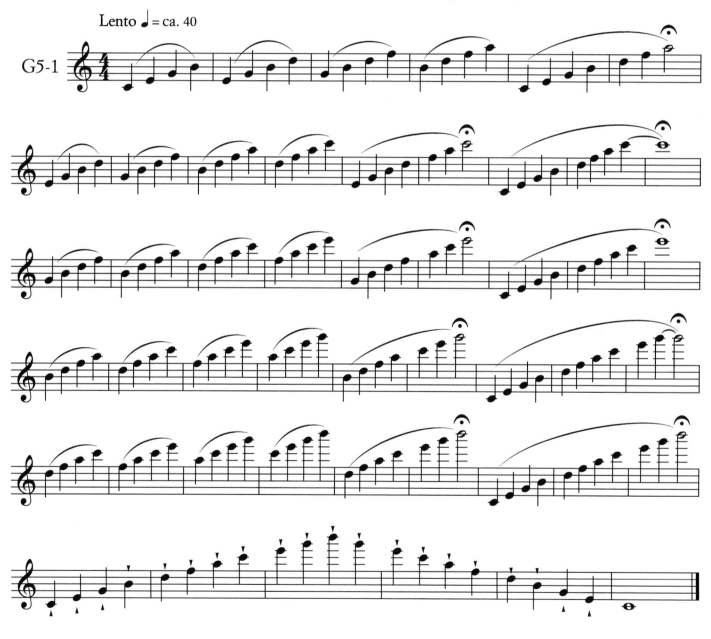

Ripetere l'esercizio nelle seguenti tonalità • *Repeat the exercise in the following keys:*

G5-2

* Add a third to the sequence at each repetition until:

Ripetere l'esercizio nelle seguenti tonalità • *Repeat the exercise in the following keys:*

G5-3

Ripetere l'esercizio nelle seguenti tonalità • *Repeat the exercise in the following keys:*

G5-4

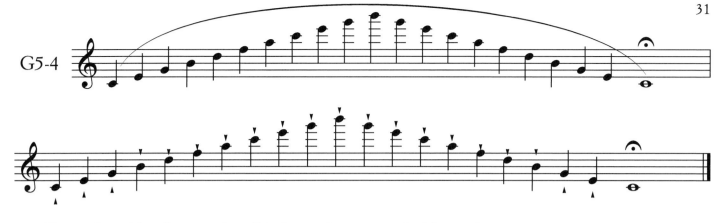

Ripetere l'esercizio nelle seguenti tonalità • *Repeat the exercise in the following keys:*

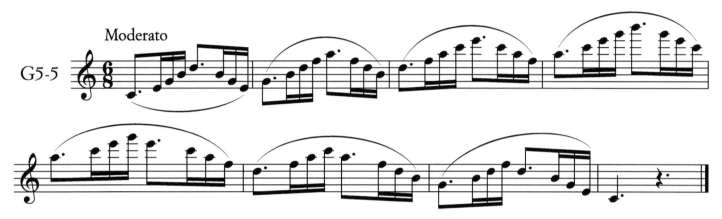

Moderato

G5-5

Ripetere l'esercizio nelle seguenti tonalità • *Repeat the exercise in the following keys:*

Moderato

G5-6

Ripetere l'esercizio nelle seguenti tonalità • *Repeat the exercise in the following keys:*

Gruppo 6 • *Group 6*

Cinque esercizi sul controllo dell'intonazione e del legato su quinte e quarte
Five exercises for intonation and legato playing on fourth and fifth leaps

In questa sezione si consiglia di prestare la massima cura al controllo della colonna d'aria, che dovrà avere un flusso continuo e stabile. Il legato potrà ulteriormente essere migliorato tramite un perfetto sincronismo delle posizioni. Per il primo esercizio sarà utile l'uso di un tuner per controllare facilmente l'intonazione.

In this section, the student should be extremely careful about controlling the air column, which should have a continuous and stable flow. Legato playing can be further improved by keeping the fingers perfectly synchronised when changing positions. For the first exercise, the use of a tuner is recommended as an easy way to control intonation.

G6-2

G6-3

*suono fermo**

* Without *vibrato*

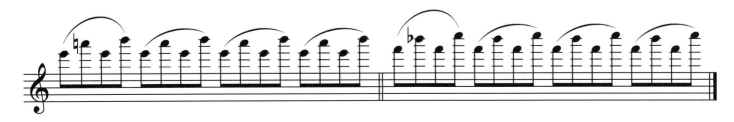

G6-4

G6-5

Ripetere l'esercizio nelle seguenti tonalità • *Repeat the exercise in the following keys:*

Gruppo 7 • *Group 7*

Otto esercizi sulle scale legate ed espressive
Eight exercises for playing scales expressively and legato

Sarà utile eseguire le scale cercando di memorizzare, nell'intonazione e nell'attacco del suono, la nota iniziale e quella finale, per potere poi usare questi riferimenti per una corretta uniformità e stabilità del suono. Sarà proficuo, inoltre, studiare le scale dapprima lentamente e *mf* e poi aumentare gradualmente la velocità e la forza (*f – ff*), mantenendo sempre un'adeguata espressività e omogeneità del suono.

When playing these scales, try to memorise the attack used in the first and final notes, as well as their exact intonation. This can be used as a reference point for later, in order to keep the sound uniform and stable. The student will get the most out of these exercises by practicing the scales slowly and mf in the beginning, before gradually increasing their speed and volume (f – ff), while always maintaining a proper expressivity and uniformity of sound.

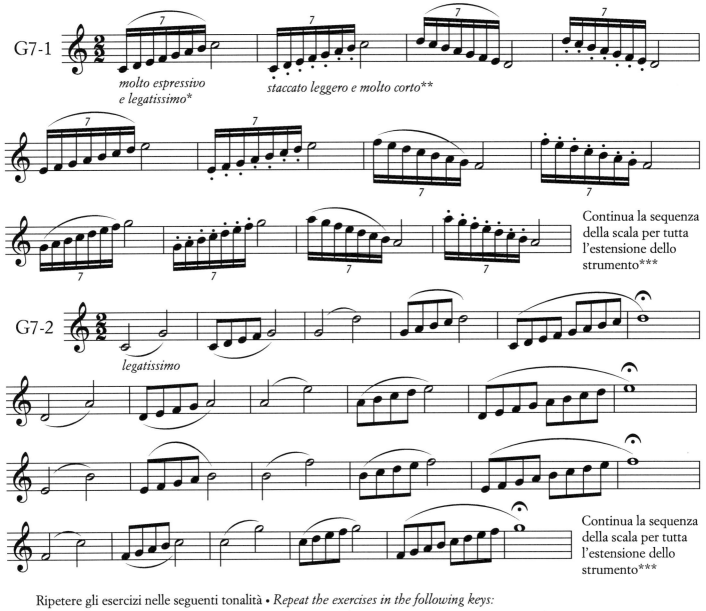

Ripetere gli esercizi nelle seguenti tonalità • *Repeat the exercises in the following keys:*

* Very expressive and *legato*
** To be played with a light, very short *staccato*
*** Play the scale for the entire range of the instrument

G7-3

legatissimo

Continua la sequenza cromatica ascendente della scala per tutta l'estensione dello strumento applicandola alle tonalità maggiori
Repeat the sequence, moving up chromatically through the major scales until you cover the flute's entire range

G7-4

Ripetere l'esercizio nelle seguenti tonalità • *Repeat the exercise in the following keys:*

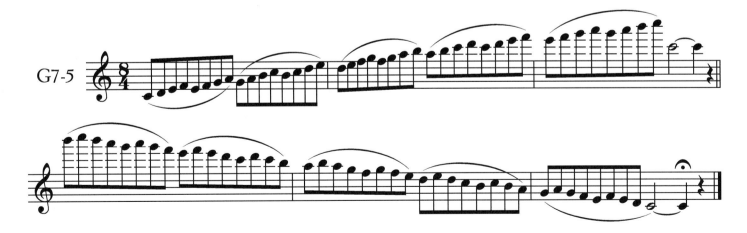

G7-5

Ripetere l'esercizio nelle seguenti tonalità • *Repeat the exercise in the following keys:*

Continua la sequenza della scala per tutta l'estensione dello strumento
Repeat the sequence covering the flute's entire range

Ripetere l'esercizio nelle seguenti tonalità • *Repeat the exercise in the following keys:*

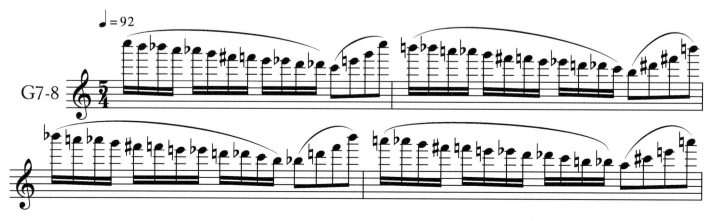

ER 3064

Gruppo 8 • *Group 8*

Quattro esercizi sui salti ampi e sulla flessibilità del suono
Four exercises for wide leaps and sound flexibility

Sarà utile impostare la forza della nota di partenza in modo da non dover essere costretti, nell'eseguire salti con intervalli molto lontani, ad aggiungere improvvisi crescendi o diminuendi. Sarà anche utile immaginare, sulla nota di partenza, di rallentare la velocità dell'aria che si sta per usare, cercando di aprire le cavità interne della bocca come per ottenere un suono di testa nel canto.

When the first note is played, the air pressure should already be set at a level where it will not need to be increased or decreased suddenly in order to play large leaps. In addition, before playing the opening note, the student should already try and imagine to slow down the airspeed which is going to be used, by opening up the internal cavity of the mouth as if he or she were singing in head register.

* Eseguire il salto con il minimo cambio di imboccatura possibile
Play the leap with the smallest possible change in embouchure

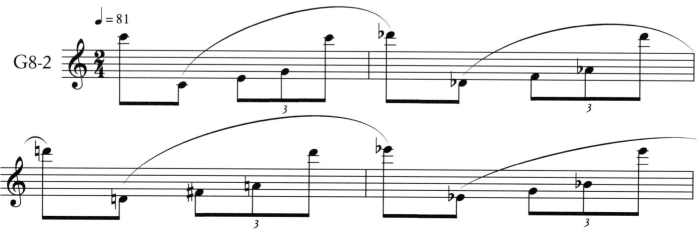

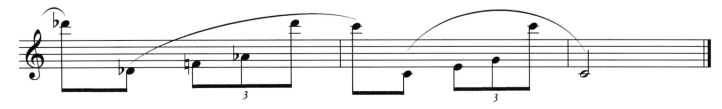

46

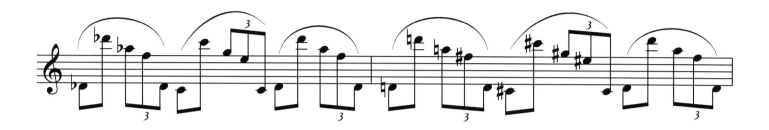

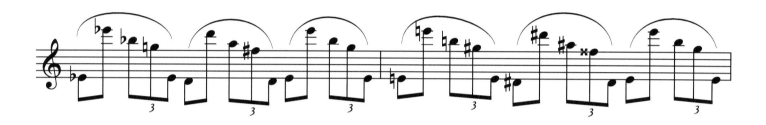

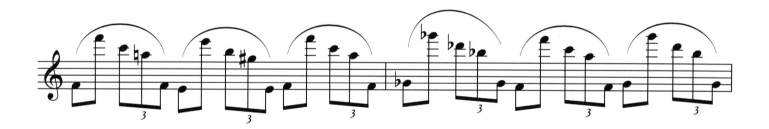

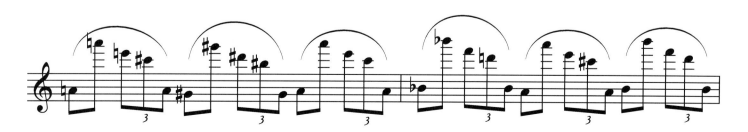

ER 3064

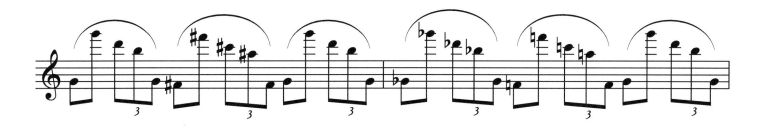

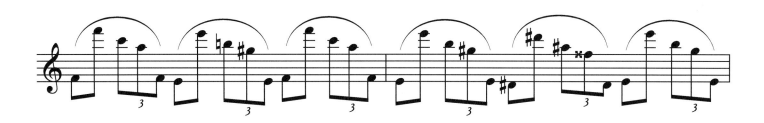

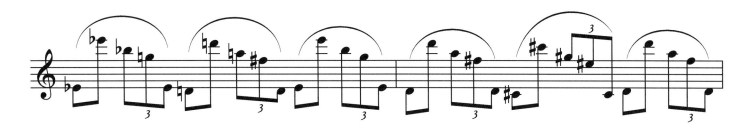

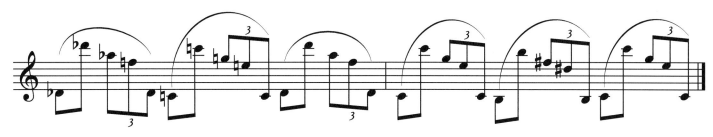

Gruppo 9 • *Group 9*

Quattro esercizi sul legato espressivo e cantabile
Four exercises for developing an expressive and voice-like legato

La sezione è caratterizzata dall'uso delle appoggiature. In genere questo abbellimento implica, proprio per il ruolo che ha in relazione alle note reali, un'intrinseca espressività. Si raccomanda, in questa serie di esercizi, di aprire il suono, di curare il legato e di eseguire la serie di arpeggi con la massima espressività.

This section is characterised by the use of appoggiaturas. In general, this ornament is already intrinsically expressive because of its role in relationship to the main note. In this series of exercises, the student is asked to open up his or her sound, to be careful when playing legato, and to play the series of arpeggios as expressively as possible.

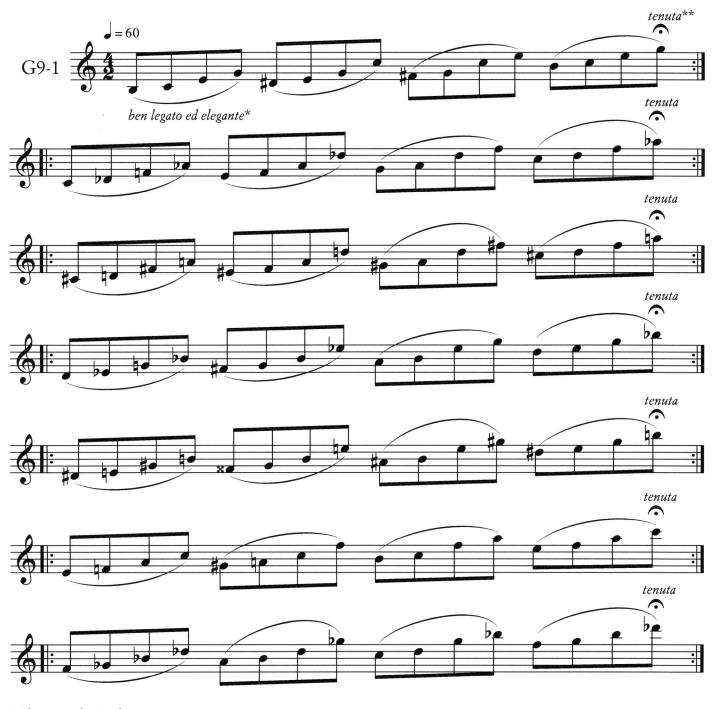

* Elegant and quite *legato*
** Sustained

50

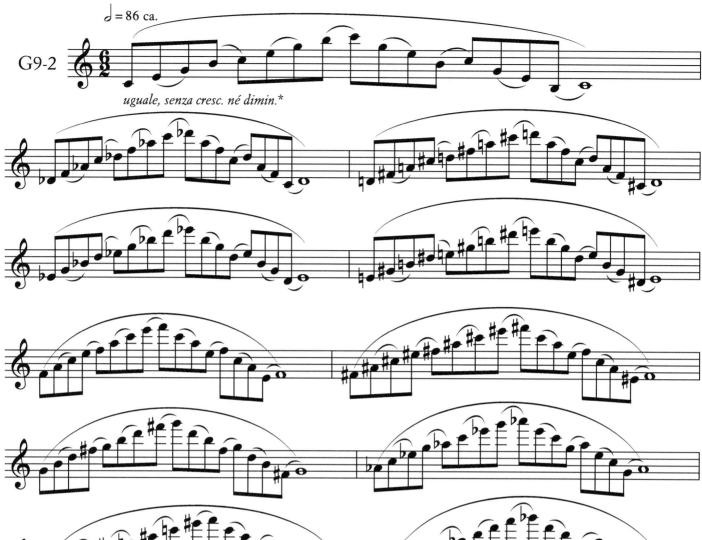

G9-2

♩ = 86 ca.

uguale, senza cresc. né dimin.*

G9-3

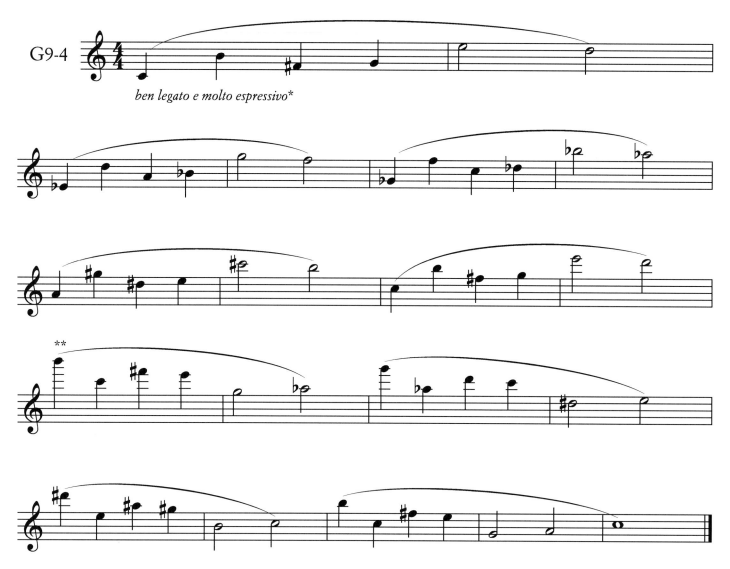

G9-4

ben legato e molto espressivo*

* Quite *legato* and very expressive

** In alternativa • *Alternatively*

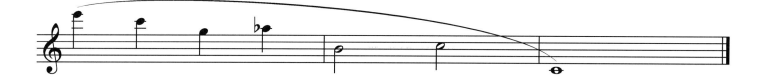

Gruppo 10 • *Group 10*

Cinque esercizi con tecniche avanzate di emissione del suono
Five exercises featuring advanced sound-emission techniques

La sezione include alcune tecniche utilizzate normalmente nella musica contemporanea. Si fa accenno, in maniera assai sintetica, solamente a quelle ritenute utili, se praticate correttamente, al controllo dell'emissione del suono.

This section includes some techniques normally found in contemporary music. The ones included here, briefly, are limited to those deemed useful (if played correctly) for improving sound production.

SUONI ARMONICI (HARMONICS)

WHISTLE SOUNDS

G10-2a Partendo dalla posizione della nota base, ottenere i whistle sounds scritti
Using the indicated fingerings, play the whistle sounds as written

G10-2b Eseguire la nota scritta cercando di legarla ad un suono di uguale altezza ma whistle
Play the written notes, trying to maintain the same pitch as you switch to a whistle sound

G10-2c Partendo dalla posizione del suono base, cercare di ottenere in maniera casuale tutti i whistle sounds possibili
Using the indicated fingerings, try and play as many different whistle sounds in a random, casual manner

random whistle tones

G10-2d Partendo dalla posizione della nota base, ottenere i whistle sounds scritti
Using the indicated fingerings, play the whistle sounds as written

BUBBLE SOUNDS

Per ottenere buoni risultati da questo esercizio è necessario considerare il principio che a una leggera ed improvvisa accelerazione della colonna d'aria può corrispondere una notevole densità di suono, specialmente nelle note gravi: questo comporta un improvviso crescendo dal *p* al *f*. La pronuncia del fonema "ha" con la "h" aspirata, come accade durante una risata, esemplifica questo fenomeno, poiché sulla "h" l'aria esce velocemente, mentre sulla "a" rallenta improvvisamente. Il grafico indica nel punto basso il *p* e nel vertice il *f*, mentre le cifre fanno riferimento alla sequenza progressiva dei bubble sounds. Quando si sarà raggiunto un buon focus sonoro, basterà un leggero colpo di diaframma per ottenere un suono profondo e pieno, per poi tornare subito al *pp* improvviso.

*In order to achieve good results with this exercise, the student should remember that a light, swift acceleration of the air column can create a notable density of sound, especially in the low register, leading to a sudden crescendo from **p** to **f**. The pronunciation of the phoneme 'ha' with an aspirated 'h' like when laughing, exemplifies this phenomenon, because the air is issued quickly on the 'h' but suddenly slows down on the 'a'. In the graph below, the lowest points of the line indicate **p** and the highest ones **f**, while the numbers refer to the progressive sequence of the bubble sounds. Once the student has developed a good sonic focus, a light, swift contraction of the diaphragm is all that should be necessary in order to achieve a rich, full sound before immediately returning to **pp**.*

G10-3

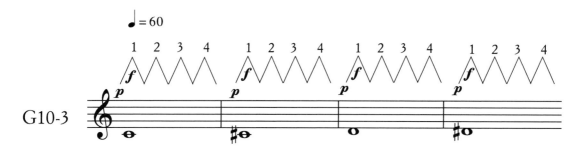

Continua la sequenza cromatica ascendente per tutta l'estensione dello strumento
Repeat the chromatic sequence, covering the flute's entire range

FRULLATI (FLUTTER TONGUING)

Ripetere l'esercizio nelle seguenti tonalità • *Repeat the exercise in the following keys:*

* Ripetere la melodia con suono reale • *Repeat the melody at the indicated pitch*

Edited by Carlo Morena in the collection "Ricordi Flute Library"
A cura di Carlo Morena nella collana "Ricordi Flute Library"

10 BAROQUE PIECES • 10 COMPOSIZIONI BAROCCHE
From Alessandro Parisotti's *Arie antiche* • *Dalle* Arie antiche *di Alessandro Parisotti*
Transcriptions for flute and piano by Carlo Morena • *Trascrizioni per flauto e pianoforte di Carlo Morena*

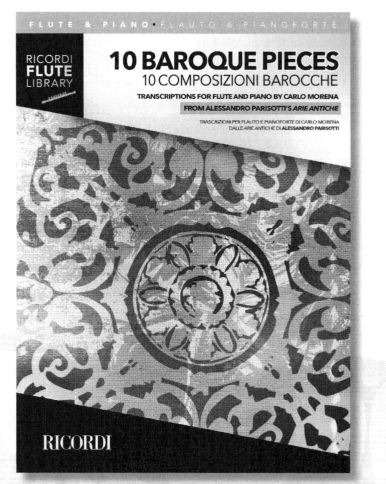

CONTENTS • INDICE

ANTONIO CALDARA
Selve amiche

MARCO ANTONIO CESTI
Intorno all'idol mio

GIOVANNI LEGRENZI
Che fiero costume

JEAN PAUL ÉGIDE MARTINI
Piacer d'amore

GIOVANNI PAISIELLO
Chi vuol la zingarella

GIOVANNI BATTISTA PERGOLESI
Stizzoso, mio stizzoso

ALESSANDRO SCARLATTI
O cessate di piagarmi
Se Florindo è fedele
Son tutta duolo

DOMENICO SCARLATTI
Consolati e spera

In the 1880s Alessandro Parisotti created beautiful settings of arias from the seventeenth and eighteenth centuries that became famous in the Ricordi publications *Arie antiche*. These vocal pieces are still used to teach classical singing around the world. Now flutists can explore these jewels in transcriptions especially made for their instrument. This timeless, melody-rich music is excellent for developing tone and expressive lyricism.

Negli anni '80 del XIX secolo Alessandro Parisotti raccolse alcune arie dei secoli XVII e XVIII poi confluite nell'antologia Arie antiche *edita da Ricordi. Grazie alle trascrizioni per flauto contenute in questa raccolta, anche i flautisti potranno apprezzare queste celebri arie, ancora oggi studiate ed eseguite in tutto il mondo. La natura elegante e melodica di questa musica richiederà allo strumentista di lavorare con particolare cura alla qualità del suono e all'espressività.*

Format: 23x30,5 cm
Pages: 52 (score • *partitura*) + 20 (flute part • *parte di flauto*)
Catalogue number: NR 141358
Ismn: 979-0-041-41358-7

RICORDI